# L'ÉDUCATION DU CŒUR

*Visite du Dalaï Lama à Montréal en 2009*

Texte intégral des conférences

# L'éducation du cœur

Visite du Dalaï Lama à Montréal en 2009
Texte intégral des conférences

# [ CORNAC ]

5, rue Sainte-Ursule,
Québec (Québec) G1R 4C7
info@editionscornac.com

Conception graphique et infographie : Steve Dumont
Adaptation : Jean-François Beaudet
Révision : Sarah Bigourdan
Correction : Jean-Pierre Sauvé
Photos : Élise Jacob

Distribution : Prologue
1650, boul. Lionel-Bertrand
Boisbriand (Québec) J7H 1N7
Téléphone : 450 434-0306 / 1 800 363-2864
Télécopieur : 450 434-2627 / 1 800 361-8088

Distribution en Europe :
D.N.M. (Distribution du Nouveau Monde)
30, rue Gay-Lussac
75005 Paris, France
Téléphone : 01-43-54-50-24
Télécopieur : 01-43-54-39-15
www.librairieduquebec.fr

Les éditions Cornac bénéficient du soutien financier du gouvernement
du Québec — Programme de crédit d'impôt pour l'édition de livres
— Gestion SODEC et sont inscrites au Programme de subvention
globale du Conseil des Arts du Canada. Nous reconnaissons l'aide financière du gouvernement du Canada par l'entremise du Programme
d'aide au développement de l'industrie de l'édition (PADIÉ) pour nos
activités d'édition.

Société
de développement
des entreprises
culturelles
Québec ✦✦

Bibliothèque et Archives nationales du Québec
Bibliothèque nationale du Canada
ISBN 13 : 978-2-89529-168-8

# PRÉFACE
## DE JEAN-MARIE LAPOINTE

En vue de la visite de Sa Sainteté le Dalaï Lama en octobre 2009 à Montréal, j'ai eu l'immense plaisir de me joindre à l'équipe d'organisation de la Fondation du Dalaï Lama aux côtés de Thubten Samdup, l'homme derrière ce grand projet. Il y avait alors de nombreux sous-comités qui se partageaient la tâche immense de préparer cet événement fort de l'année, et je participais entre autres, au sein d'un groupe pour les jeunes, à la réalisation d'un documentaire et d'une série d'activités avec le Dalaï Lama. Bien sûr, il va sans dire que les valeurs universelles du bouddhisme que j'essaie de suivre depuis ma lecture déterminante de L'art du bonheur, il y a de cela une dizaine d'années, ont été plus que jamais partagées durant ces trois années d'organisation fructueuse.

Le 3 octobre 2009, les mots et les messages livrés par le Dalaï Lama ne pouvaient que convaincre jeunes et moins jeunes de la puissance universelle de la compassion, tout comme de l'importance irréfutable de la tolérance aussi bien envers soi-même qu'envers les autres. Les enseignements et valeurs fondamentales de ce grand maître ont été une fois encore magnifiquement partagés dans des mots simples et clairs. Grâce à ce sens inné de la communication, le Dalaï Lama établit toujours un lien serein avec un vaste auditoire. Que nous soyons bouddhiste, juif, catholique, musulman ou non-croyant, les enseignements du Dalaï Lama peuvent avoir un impact positif bien réel sur notre quotidien, tant sur le plan personnel et professionnel, que spirituel. La lecture de cet ouvrage n'en sera qu'un élément additionnel.

Je considère donc comme un immense privilège de pouvoir signer la préface de ce livre. Puisse cet ouvrage continuer à renouveler le regard de certains sur l'humanité, et conforter davantage ceux qui sont, tout comme moi, déjà convaincus de la pertinence de ce cheminement de la compassion et de l'ouverture nécessaire du cœur vers l'autre et envers soi-même.

## PRÉFACE
## DE BRIAN BRONFMANN

La visite du Dalaï Lama à Montréal en octobre 2009 a été le fruit de trois longues années de préparation. Pour ma part, c'est à la suite d'une rencontre avec Thubten «Sam» Samdup, en septembre 2006, que je me suis impliqué dans ce projet. Mes connaissances sur le Dalaï Lama et la nature de son message étaient alors plutôt limitées. Je savais qu'il était un fervent défenseur de la paix et de la non-violence, ainsi que l'une des personnes les plus connues et les plus respectées dans le monde. Toutefois, ces quelques informations sur le Dalaï Lama et son message avaient une résonnance positive chez moi. Mon intérêt pour ce message était d'autant plus grand que j'étais déjà impliqué, depuis dix ans, dans le domaine de la médiation et de la résolution des conflits. Je commençais justement à m'intéresser aux liens tout naturels qui existent entre cet engagement et les questions de la paix, de la non-violence et de la compassion. Lorsque Sam m'a demandé si je souhaitais participer, d'une façon qui restait encore à déterminer, à l'organisation d'une éventuelle visite du Dalaï Lama, dont la date restait elle aussi à définir, j'ai naturellement dit «oui».

Je n'avais alors aucune idée de ce dans quoi je m'engageais. Je ne savais pas que mon implication serait si importante et que je coordonnerais de grands pans de la visite, au cours des derniers mois la précédant.

Au départ, en 2006 et en 2007, les informations sur cette éventuelle visite nous parvenaient au compte-goutte. Une chose était toutefois certaine : si le Dalaï Lama venait à Montréal, sa visite ne serait pas de nature politique ni ne serait une simple séance de prises de photos. Par sa présence, le Dalaï Lama devait apporter une contribution à la fois concrète et durable à la société québécoise. De plus, son message porterait sur l'éducation et l'éthique.

Plusieurs réunions préparatoires avaient déjà eu lieu lorsque les membres du comité organisateur de la visite apprirent que le gouvernement du Québec mettait en place un programme scolaire obligatoire proposant une nouvelle approche de l'enseignement de l'éthique dans les écoles du Québec. Nous ne pouvions que nous amuser de l'ironie de cette coïncidence, tout en nous demandant si la visite du Dalaï Lama était toujours nécessaire. Nous en sommes venus à la conclusion que cette visite demeurait utile dans la mesure où elle témoignerait de l'appui de Sa Sainteté en faveur de telles initiatives. En effet, c'est avec beaucoup d'enthousiasme que le Dalaï Lama prit connaissance de cette nouvelle expérience faite au Québec pour promouvoir l'éthique et une meilleure compréhension entre les cultures. Dans un tel contexte, notre comité organisateur de la visite devait relever un défi : celui de bien faire comprendre toutes les nuances de cette prise de position. Le Dalaï Lama ne donnerait pas son appui au programme du gouvernement du Québec en lui-même. Il ne lui revenait nullement de se prononcer sur la façon dont l'éthique devait être présentée au Québec. Nous devions donc marcher sur la ligne étroite qui consistait à faire savoir que c'était la volonté d'un gouvernement d'adopter une approche innovante et proactive dans l'enseignement de l'éthique que Sa Sainteté appuyait. Cet appui portait plus spécifiquement sur le caractère pluraliste du programme et son potentiel pour générer plus de compassion dans la société. La quasi-absence d'opposition et de controverse au cours de sa visite montre que ce message est bien passé malgré sa subtilité.

Non seulement l'organisation de la visite du Dalaï Lama s'est étendue sur plusieurs années, mais elle a aussi été le fruit des efforts de nombreuses personnes. Un grand nombre de Québécois et de Québécoises, tous et toutes bénévoles, ont fait de cette visite une réalité… et un grand succès.

Lors de remerciements, on court toujours le risque d'oublier certaines personnes qui peuvent alors se sentir laissées pour compte. Je ne peux toutefois passer sous silence le travail de ceux et celles avec qui j'ai collaboré étroitement, soit Sarah Artmondt, Normand Beaudet, Kary Cousineau, Lyna Dijulio, Jean-Marc Duchesne, Dino Grifo, Jean-François Laliberté, Jeanne Leblanc, Robyn Sabourin, Carole Samdup, Jim Sullivan, Dermod Travis, et Tashi Wangyal. Je tiens aussi à exprimer mes remerciements les plus sincères à toutes les autres personnes qui ont apporté leur contribution à cette visite.

Merci beaucoup, et je crois que vous partagerez avec moi ce sentiment de satisfaction et de gratitude d'avoir pu participer à ce moment si spécial de l'histoire du Québec.

# INTRODUCTION
## *Histoire de Sa Sainteté le Dalaï Lama\**

Sa Sainteté le Dalaï Lama, dont le nom provient d'un titre mongol qui signifie « Océan de Sagesse », est considéré par les bouddhistes tibétains comme une manifestation d'Avalokiteshvara, le Bouddha de la compassion, protecteur et patron du Tibet. Le quatorzième Dalaï Lama est né le 6 juillet 1935, dans le village tibétain de Takster, dans une famille de paysans. Deux ans plus tard, Lhamo Dhondroup, ainsi appelé par ses parents, fut reconnu comme la quatorzième manifestation du Dalaï Lama et conduit à Lhassa.

Le 22 février 1940, à l'âge de quatre ans et demi, le Dalaï Lama fut solennellement intronisé et reçut le nom de Tenzin Gyatso. Son éducation en tant que Dalaï Lama débuta alors qu'il avait six ans. Sous la direction des meilleurs enseignants du Tibet, il reçut une éducation monastique et une formation très poussée en philosophie et en méditation bouddhistes, culminant avec le titre de Géshé Lharampa, le plus haut degré dans la tradition tibétaine.

\* source : www.oceandesagesse.org

En 1950, dans un contexte de plus en plus tendu avec la Chine communiste, alors qu'il n'avait que quinze ans, il fut intronisé comme chef spirituel et temporel du Tibet et dut assumer l'entière direction politique de son pays. Un an plus tard, les troupes chinoises envahissaient le pays. En 1954, il se rendit à Pékin pour tenter de négocier un accord de paix avec Mao Tsé Toung et d'autres dirigeants chinois, parmi lesquels Chou En-laï et Deng Xiaoping.

En 1956, à l'occasion du Bouddha Jayanti, la célébration du deux mille cinq centième anniversaire du Parinirvana du Bouddha, il fit un voyage en Inde. Nombre de ses conseillers lui recommandèrent alors de ne pas rentrer au Tibet et de demeurer en Inde. Mais le Dalaï Lama préféra retourner à Lhassa afin de poursuivre ses efforts en faveur d'une cœxistence pacifique avec les troupes d'occupation chinoises.

Les atrocités perpétrées par les Chinois dans l'est du Tibet réduisirent à néant tous ses efforts pour une résolution pacifique du conflit entre la Chine et le Tibet. Les forces d'occupation réprimèrent dans le sang l'insurrection populaire des Tibétains le 10 mars 1959. Dès 1960, environ 90 000 Tibétains avaient déjà péri dans cette ultime révolte.

Depuis ces événements, les Tibétains commémorent chaque année les victimes du 10 mars.

Face à cette situation, le Dalaï Lama fut contraint de fuir de l'autre côté de l'Himalaya, suivi par environ cent mille Tibétains. En 1960, il établit à Dharamsala, en Inde, son gouvernement en exil. Depuis, il continue d'œuvrer sans relâche pour améliorer la condition de son peuple resté au Tibet.

Au cours des premières années de son exil, il fit appel à l'Organisation des Nations unies pour trouver une solution à la question tibétaine. L'ONU adopta des résolutions, en 1959, en 1961 et en 1965, par lesquelles la Chine était sommée de respecter les droits de l'homme au Tibet, ainsi que le droit à l'autodétermination.

En matière de politique intérieure, le Dalaï Lama et le gouvernement en exil se sont engagés dans la protection du peuple tibétain et de sa culture. Ils s'occupent des réfugiés, soutiennent le développement économique du pays et un système scolaire et universitaire a été mis en place. Ainsi, plus de deux cents monastères ont pu être rétablis en exil.

En 1963, le Dalaï Lama prépara un projet de constitution et, depuis cette époque, il s'est révélé un fervent promoteur de la démocratisation de la société tibétaine.

Au-delà de son soutien aux Tibétains en exil, le Dalaï Lama recherche inlassablement une solution non violente à la question tibétaine. En 1987, il dévoila un plan de paix en cinq points visant à clarifier le futur statut du Tibet. En juin de l'année suivante, il développa davantage ce plan à l'occasion d'une allocution au Parlement européen de Strasbourg. Par cette initiative, il en appelait à une réelle autonomie pour le Tibet à l'intérieur de la République populaire de Chine. De plus, il demande à ce que le Tibet soit déclaré zone de paix, que s'arrête la politique de transfert massif de population chinoise au Tibet, qu'y soient restaurés les droits de l'homme et que soit interdit le déversement de déchets nucléaires. Le plan requiert également de véritables négociations sur l'avenir du pays.

En 1989, le dirigeant tibétain reçut le prix Nobel de la paix pour sa recherche d'un règlement pacifique de la question tibétaine. La déclaration du Comité Nobel était ainsi rédigée : « Le Dalaï Lama a développé sa philosophie de la paix sur la base d'une grande estime envers tous les êtres vivants et de l'idée d'une responsabilité universelle qui embrasse autant l'humanité que la nature. »

En juillet 2001, Sa Sainteté le Dalaï Lama a fait en sorte que ses propres pouvoirs soient réduits et, à son initiative, les Tibétains ont élu leur premier ministre en la personne du professeur Samdhong Rinpotché.

À l'occasion de ses voyages, le Dalaï Lama est reçu par de nombreux chefs d'État et de gouvernement. Des personnalités de premier plan dans les domaines politiques, religieux, scientifiques et économiques cherchent à le rencontrer. Régulièrement, il est convié dans de nombreux pays pour présenter ses idées sur la cœxistence harmonieuse et un monde de paix, dans le cadre de conférences publiques qui rassemblent des milliers de personnes.

# L'ÉDUCATION DU CŒUR :
# LA PUISSANCE DE LA COMPASSION

*Quelles valeurs promouvoir
pour améliorer notre monde ?*

———————————

*Conférence publique au Centre Bell*

Vous êtes venus assister à cette conférence pour des motifs divers. Certains sont venus par simple curiosité, ce qui est tout à fait légitime. D'autres ont des attentes un peu plus grandes : ils s'attendent à quelque chose de très spécial. C'est toutefois une erreur. Je n'ai rien de spécial à vous offrir. Peut-être y en a-t-il aussi qui s'imaginent que le Dalaï Lama a des pouvoirs miraculeux ? Tout cela n'a aucun sens. Certains pensent par exemple que le Dalaï Lama a des pouvoirs de guérison. Eh bien, depuis que j'ai subi à l'automne dernier une intervention chirurgicale au cours de laquelle on m'a retiré la vésicule biliaire, je peux dire qu'il est scientifiquement prouvé que le Dalaï Lama n'a pas de pouvoirs de guérison !

Ce n'est pas en tant que bouddhiste, ni en tant que Tibétain, que je m'adresse à vous aujourd'hui, mais bien simplement d'être humain à être humain. C'est à ce titre que je vous prie, vous aussi, de m'écouter. Cet après-midi, nous allons nous demander comment nous pouvons éduquer notre cœur à plus d'altruisme et de compassion. Et d'abord, nous nous demanderons ce qu'est la compassion. Comment pouvons-nous développer la compassion, la cultiver ?

Nous sommes tous nés d'une mère. Pour ma part, je suis né dans une famille qui vivait dans un petit village, une famille de paysans. Mon père était illettré, il n'avait donc guère d'éducation. Ma mère était une personne particulièrement chaleureuse, elle avait très bon cœur. Je suis convaincu qu'une bonne partie de la compassion que j'ai en moi me vient d'elle. Par la suite, j'ai étudié des textes bouddhistes qui m'ont beaucoup aidé à cultiver la compassion. Mais à la source, à la racine de cette compassion, il y a l'affection de ma mère. Nous sommes tous nés d'une mère. Nous ne sommes pas nés d'un lotus. On raconte que certains grands maîtres spirituels seraient nés d'un lotus. Est-ce que ces maîtres avaient plus de compassion pour les fleurs que pour les êtres humains ? Qui sait ? Je crois donc que nous avons tous en nous le même potentiel pour faire preuve de compassion. C'est logique, puisque nous sommes tous nés d'une mère et, qu'à notre naissance, notre survie même dépendait de l'affection, de la compassion de cette mère.

Notre corps, la dimension physique de notre être, est très bien adapté à la compassion. Les personnes qui éprouvent le plus de compassion ont une plus grande stabilité d'esprit et sont plus calmes. C'est ce qu'ont démontré les recherches et les analyses d'amis scientifiques. J'ai eu l'occasion de m'entretenir, entre autres, avec des spécialistes des syndromes post-traumatiques. Ils étudient le cas de personnes ayant vécu des expériences extrêmement traumatisantes. Selon ces chercheurs, les personnes capables de beaucoup de compassion sont généralement moins traumatisées, souffrent moins des séquelles de ces épisodes traumatiques.

Je peux illustrer ce fait par l'exemple d'un moine de 94 ans que je connais depuis très longtemps. C'est un ami. Il vit aujourd'hui à Dharamsala. Il a été emprisonné en 1959 et a passé vingt ans dans les goulags chinois. Il a ensuite été libéré et est venu en Inde. J'ai eu l'occasion de discuter souvent avec lui. Au cours de ces discussions, il m'a révélé s'être senti plusieurs fois en danger au cours de sa détention dans ces camps de travaux forcés. Je croyais qu'il parlait de danger pour sa vie. Il a alors précisé qu'il parlait plutôt du danger de perdre sa compassion pour ses oppresseurs chinois. Il avait compris toute l'importance de continuer à avoir de la compassion même à l'égard de ceux qui lui causaient du tort. La compassion apporte la paix intérieure et nous permet de préserver cette paix même dans les moments les plus difficiles.

Lors des événements tragiques du 10 mars 2008, alors que le Tibet faisait face à de grandes difficultés, j'ai pu faire l'expérience, quoique de façon assez limitée, de cette réalité. Les nouvelles en provenance du Tibet me brisaient le cœur. Il m'était très difficile, intellectuellement, de faire face à une situation si dramatique et à des nouvelles si tristes. Je sentais remonter en moi l'angoisse, l'anxiété, le sentiment d'impuissance qui m'avaient envahi, il y a cinquante ans, lorsque j'avais dû fuir le Tibet suite aux événements du 10 mars 1959. Toutefois, l'état de calme intérieur que j'ai réussi à développer au cours de toutes ces années m'a permis cette fois-ci de maintenir une certaine stabilité, une certaine paix de l'esprit. Même mon sommeil n'a pas été troublé. Pourtant, je faisais face à une situation extrêmement perturbante.

La haine, l'animosité dévorent le système immunitaire. C'est ce que d'autres amis scientifiques ont pu observer chez les personnes qui sont sujettes à la colère et à la haine. En revanche, chez les personnes qui cultivent la compassion, on observe que celle-ci soutient le système immunitaire et peut même le renforcer. La compassion peut donc procurer d'immenses bienfaits sur le plan personnel.

Le calme intérieur, la compassion nous permettent aussi d'utiliser notre intelligence de façon plus efficace et à bon escient. Nous portons un regard plus réaliste sur ce qui nous entoure, ce qui nous permet de prendre de meilleures décisions. Au contraire, lorsque notre esprit est perturbé, il devient très difficile d'évaluer les choses clairement et de façon réaliste. Nous avons alors tendance à déformer la réalité.

Lorsque j'ai rencontré le psychologue Aaron Beck, maintenant âgé de plus de 80 ans, il m'a expliqué que lorsqu'une personne est très en colère, la perception que celle-ci a de l'objet de sa colère est entièrement déformée. Selon lui, près de 90 % de la négativité de cette perception est une projection mentale, une distorsion créée par notre esprit. Il en va de même pour l'attachement. C'est une obsession qui déforme, elle aussi, la

réalité. L'attachement est en fait une autre forme
de projection mentale qui nous empêche de voir
la réalité telle qu'elle est. Il est pourtant essentiel
d'avoir une perception juste de la réalité. Une
perception irréaliste de la réalité nous place dans
un rapport dysfonctionnel avec celle-ci.

Une autre observation scientifique, portant celle-
là sur les singes, révèle que lorsque les petits singes
sont séparés de leur mère, ils deviennent très
souvent extrêmement agressifs. Ils ont tendance
à mordre. Ils développent un comportement
antisocial et refusent de jouer avec d'autres singes.
Inversement, le tempérament des petits singes
élevés par leur mère est beaucoup plus ouvert,
beaucoup plus doux, beaucoup plus joueur et
moins belliqueux. Comme nous sommes aussi
des mammifères, nous partageons un peu la
même nature.

Les personnes qui, dans leur langage de tous
les jours, utilisent beaucoup les mots « moi »,
« je », « mien », courent plus de risques d'avoir
des attaques cardiaques. C'est ce que j'ai appris
en participant à un séminaire organisé par
une université de New-York. Le médecin qui

présentait cette information n'a pas vraiment donné plus d'explications. Le fait de dire toujours « moi, moi, moi », ou de parler sans cesse de ce qui m'appartient, est le reflet d'un état mental, d'une attitude intérieure profondément centrée sur soi-même, d'un sentiment exacerbé de l'importance de soi-même. On s'enferme alors tellement sur soi-même que l'on s'isole, que l'on se coupe du monde extérieur. On a alors de plus en plus de mal à communiquer avec ce monde extérieur. On développe un sentiment de solitude. Le doute et la suspicion nous envahissent. Nous avons l'impression que nous ne pouvons pas nous fier aux autres. Cela va pourtant à l'encontre de la nature humaine puisqu'au fond nous sommes des animaux sociaux. Nous avons besoin d'interactions avec les autres. Nous avons besoin d'être proches d'eux. Ces interactions nous permettent de nous sentir plus en sécurité intérieurement. La compassion favorise la communication entre les êtres. Elle crée en nous le sentiment d'être entourés d'amis. Les personnes qui s'enferment sur elles-mêmes développent au contraire le sentiment que le monde qui les entoure est hostile. Elles connaissent l'insécurité, le stress et l'anxiété. En conséquence, leur pression artérielle peut monter, leur sommeil va être troublé, leur santé perturbée. L'état intérieur de calme et de sérénité que nous procure la compassion peut donc avoir un impact favorable sur la santé.

Voici un autre exemple fondé sur mon expérience personnelle. L'an dernier, j'ai eu des calculs biliaires. Ma vésicule biliaire avait triplé de volume et elle était infectée de pus. Ma condition était assez sérieuse, voire grave, et a nécessité une intervention chirurgicale. Le chirurgien m'avait dit que l'intervention durerait vingt minutes. À cause de complications, elle a duré trois heures. Pourtant, une semaine plus tard, j'étais parfaitement rétabli. Les médecins ont été surpris par la rapidité de mon rétablissement. Je ne crois pas qu'il y ait là quelque chose de spécial ou d'extraordinaire. C'est simplement mon état mental plus serein, plus calme qui a favorisé cette convalescence rapide. La pratique de la compassion peut donc nous apporter beaucoup. Elle peut même contribuer à notre bien-être physique.

Ce sont aussi l'altruisme et la compassion qui, sur le plan de la famille, permettent une affection sincère et véritable, et une amitié profonde. Ils favorisent l'existence de relations harmonieuses entre parents et enfants, entre partenaires, entre hommes et femmes, et sont donc essentiels au bonheur d'une famille. L'éducation, bien sûr, est importante. Mais la compassion l'est davantage. C'est elle qui doit animer et inspirer l'éducation.

Ce n'est pas l'apparence physique qui assure une relation harmonieuse dans le couple mais bien une amitié profonde, véritable et sincère. L'aspect physique, la beauté extérieure ont de l'importance, bien sûr. Ce sont d'ailleurs une grande préoccupation dans notre monde. On le réalise en mesurant tout l'espace qu'occupent les produits de beauté dans les magasins. Ils sont aussi extrêmement chers! Pourtant, ce qui compte vraiment, n'est-ce pas la beauté intérieure? N'est-ce pas là la vraie beauté? De plus, elle est bien meilleur marché!

On observe d'ailleurs chez les couples fondés d'abord sur l'attirance physique que celle-ci est de courte durée. Cette attraction physique suffira peut-être à assurer la cohésion de ce couple pendant quelques semaines ou quelques mois. Les différends commenceront pourtant à apparaître dès qu'ils apprendront à mieux se connaître, dès que certains aspects de leur manque de beauté intérieure se révéleront. Il en résultera peut-être une séparation. Une amitié véritable fondée sur la beauté intérieure n'est rien d'autre que de la compassion.

Intéressons-nous maintenant à la vie communautaire. Lorsque des voisins s'entraident et se soutiennent les uns les autres, ils peuvent former une sorte de grande famille, une communauté très harmonieuse. Une telle communauté peut être une source de sécurité et de bien-être. Lorsqu'à l'extérieur de celle-ci, nous faisons face à des difficultés, elle peut devenir un véritable refuge où nous pouvons toujours nous sentir à l'aise et en sécurité. La pratique de l'altruisme et de la compassion au sein de nos communautés locales peut donc favoriser une plus grande harmonie.

Jetons maintenant un coup d'œil du côté de la société dans son ensemble. Lorsque les personnes qui ont de l'influence dans la société, les hommes d'affaires, les hommes politiques, sont empreints d'altruisme et de compassion, leur attitude est beaucoup plus sensée, beaucoup plus réaliste. Il y a moins de corruption, moins de problèmes de tout ordre dans la société. La récente crise financière en est une bonne illustration.

Je suis plutôt ignorant en matière de finances, vous vous en doutez certainement. J'ai toutefois eu l'occasion de m'entretenir avec certains amis qui sont des économistes reconnus. D'après leur diagnostic, les deux principales causes de cette crise sont l'avidité et la spéculation. La spéculation résulte de projections mentales qui viennent déformer la perception de la réalité. Elles empêchent une évaluation juste de la réalité. La crise financière résulte d'un problème éthique. Si tout le monde avait fait preuve de transparence, si tous s'en étaient tenus à dire la vérité, ces problèmes auraient pu être évités. Ce qui a contribué à envenimer la situation c'est que, bien que la situation ne faisait que s'aggraver, on continuait à prétendre que tout allait bien.

Qu'est-ce que cette crise nous révèle ? Un manque fondamental de considération de la part des responsables pour ces millions de personnes victimes de la crise. Quel est donc l'antidote à une telle situation ? Une société où il y a plus de chaleur humaine, plus de cœur. Il s'agit d'un enjeu crucial pour notre société. Il suffit parfois que cette chaleur humaine s'exprime par un sourire. Il existe évidemment toutes sortes de sourires. Il y a le sourire diplomatique qui est un petit peu artificiel. Il y a le sourire sarcastique qui peut faire du mal. Il y a le sourire de la personne qui a de l'argent ou du pouvoir, c'est un sourire hypocrite et artificiel. C'est le vrai sourire, le sourire sincère qui répand la joie.

Lors de la conférence de presse à laquelle j'ai participé quelques instants avant cette rencontre publique, un journaliste m'a confié que le fait que je fasse des plaisanteries, que j'aie le sourire, que je rie souvent apportait de la joie, à lui et aux autres journalistes. En revanche, il y avait dans l'assistance un ou deux journalistes ayant une attitude extrêmement sérieuse. Lorsque je les regardais, je me sentais devenir beaucoup plus sérieux, beaucoup moins souriant. Le sourire, le sourire sincère n'est-il pas le propre de l'espèce humaine? Je me demande si les singes sourient. Peut-être un petit peu: quand ils montrent les dents, on ne sait pas trop si c'est un sourire ou une menace! Quoiqu'il en soit, le fait de démontrer, de manifester des qualités humaines par le sourire crée un sentiment de sécurité autour de soi. Les gens se sentent plus à l'aise. Tout le monde est plus heureux.

Nous sommes des animaux sociaux. Les animaux sociaux se rassemblent. Il y a donc quelque chose qui les rassemble et leur permet de tirer les plus grands bienfaits du fait d'être ensemble. La force qui rassemble les êtres humains, n'est-ce pas justement la compassion. Qu'est-ce qui, au contraire, sépare les êtres humains ? Qu'est-ce qui les éloigne ? Ne sont-ce pas la haine, l'animosité ? N'est-ce pas cette animosité qui est la cause même du sentiment de solitude, du fait que nous ne faisons pas confiance aux autres ?

On entend parfois des gens se plaindre, dire qu'ils se sentent seuls dans l'existence. Ne créons-nous pas nous-mêmes cette solitude en négligeant notre potentiel intérieur ? Nous nous plaignons d'être seuls simplement par ignorance. Il est clair qu'une vie heureuse dépend d'abord de notre attitude intérieure. Adhérer aux valeurs que sont la compassion, la tolérance, le pardon ne veut pas dire pour autant que l'on doit s'aplatir devant les autres, se soumettre à toutes les formes de sévices et ne pas réagir devant des comportements qui sont inacceptables. Lorsqu'on est confronté à des comportements négatifs, il faut distinguer les actes et la personne qui agit. Nous devons prendre toutes les mesures nécessaires pour contrecarrer tout acte injuste ou nuisible. Il faut même le faire avec force. Il faut le faire sans jamais perdre ce sentiment authentique de compassion à l'égard de la personne à qui nous nous opposons. En fait, nous avons encore plus de raisons d'éprouver de la compassion pour quelqu'un qui se conduit de manière néfaste. Le comportement de cette personne va causer de la souffrance. Il n'est pas nécessaire de croire à la possibilité d'existences à venir. Nous savons que, par ce comportement nuisible, de la souffrance va être infligée aux autres et à la personne elle-même. D'un certain point de vue donc, cette personne doit être encore davantage l'objet de notre compassion que les autres. Il faut également distinguer la compassion de la pitié. La compassion n'est pas seulement une forme de pitié envers ceux qui souffrent, elle implique aussi un élément de respect. La vraie compassion est fondée sur la reconnaissance du fait que, tout comme moi, tous les êtres désirent échapper à la souffrance et en ont le droit.

Il est, à mon sens, très important de distinguer deux niveaux de compassion.

Il y a d'abord un niveau de compassion plus physique, biologique même, qui est aussi plus spontané. C'est la compassion que la mère a pour son enfant, celle dont nous avons bénéficié quand nous étions enfants. On ne peut avoir cette forme de compassion pour un ennemi. Cependant, cette compassion d'origine biologique peut être considérée comme une semence. Cette semence, nous pouvons la faire fleurir, la développer grâce à l'intelligence humaine, au raisonnement, à l'entraînement afin de faire croître notre compassion. La compassion biologique est influencée par le comportement des personnes, et non par la reconnaissance de leur humanité fondamentale.

Devant un comportement hostile, celui d'un ennemi par exemple, il sera extrêmement difficile d'avoir de la compassion spontanée pour cette personne. En revanche, en ayant recours au raisonnement, on peut prendre conscience des bienfaits de l'altruisme et de la compassion. On peut comprendre qu'aucun être ne souhaite souffrir. Notre compassion n'est alors plus tributaire du comportement de l'autre personne. Nous avons de la compassion envers la personne elle-même et reconnaissons son désir de ne pas souffrir. Donc, par le raisonnement, par une prise de conscience et par l'entraînement de l'esprit, il est possible d'étendre peu à peu notre compassion jusqu'à nos ennemis. Nous pouvons, bien sûr, agir pour contrecarrer leurs actes néfastes par tous les moyens souhaitables, sans pour autant perdre notre compassion pour ces personnes. D'ailleurs, le test véritable pour déterminer si la compassion est authentique ou non consiste à poser la question : est-ce que cette compassion peut résister au comportement hostile de nos ennemis et continuer à se manifester envers eux ? Si nous voulons faire croître la compassion, la développer en nous-mêmes, trois approches s'offrent à nous. La première est celle offerte par les religions théistes. Dans cette conception du monde, le croyant place sa foi en un Dieu créateur qui est amour infini. Le fait de se soumettre à la volonté de ce Dieu créateur implique nécessairement que nous-mêmes soyons plein d'amour et de compassion à l'égard de notre prochain.

Les religions non théistes, comme le bouddhisme et le jaïnisme, ont une autre approche. Celle-ci est fondée sur une certaine compréhension des lois de cause à effet. Dans cette perspective, lorsque nous faisons du bien aux autres, nous nous faisons aussi du bien à nous-mêmes. Lorsque nous provoquons de la souffrance chez les autres, non seulement nous les faisons souffrir mais, en fin de compte, nous alimentons nos propres souffrances.

La troisième approche est sans doute la plus proche de la réalité actuelle. La majorité des êtres humains ne règlent plus leur comportement en fonction d'une croyance religieuse. L'argent, les possessions et les biens matériels les préoccupent davantage. Il est donc important que nous trouvions moyen de faire prendre conscience à tous des vertus de l'altruisme et de la compassion. Il s'agit là d'une part importante de nos sociétés et du genre humain. C'est dans ce sens que je propose le développement d'une éthique séculière destinée à tous, indépendamment de toute croyance religieuse. Cette éthique séculière est fondée sur trois choses : le bon sens, l'expérience commune, et le résultat d'études scientifiques. Je crois que l'adhésion généralisée à une telle forme d'éthique contribuerait à l'amélioration de notre bien-être, à celui de nos familles, à celui de nos communautés et à celui de la société dans son ensemble.

J'étais particulièrement heureux ce matin de m'entretenir avec plusieurs centaines de futurs enseignants du système scolaire du Québec. Cette rencontre a eu lieu à l'Université McGill. Elle portait principalement sur cette approche qui vise à introduire des notions d'éthique dans l'éducation. Je pense que c'est tout à fait merveilleux. C'est une approche que j'apprécie considérablement. Les recherches associées à cette approche nous permettront de développer des plans d'action extrêmement concrets pour contribuer à une conception plus éthique de la société. Sur le plan global, une telle approche dans le domaine de l'éducation et dans la société en général pourrait permettre que ce siècle voie l'avènement d'une ère plus compatissante, plus altruiste et d'une paix véritable, une paix entre les êtres humains, une paix avec l'environnement.

Voilà ce que j'avais à dire. Maintenant, venons-en aux questions.

*Qu'est-ce qui est le plus important que nous puissions apprendre à nos enfants afin de les préparer à la vie adulte ? Comment devons-nous procéder à cet égard ?*

Je ne suis pas un expert de l'éducation des enfants, vous vous en doutez bien. J'ai tout de même une certaine expérience et je bénéficie aussi de l'expérience des autres. Pour que notre vie soit pleine de sens, il faut que nous sachions combiner en nous bon cœur et chaleur humaine avec nos qualités cérébrales et intellectuelles. Si tout se passe uniquement là-haut, il est possible de développer une intelligence extrêmement sophistiquée sans aucune qualité de cœur, ce qui peut mener à un désastre. En revanche, s'il ne se passe pas grand-chose au niveau du cerveau, et que nous ayons simplement un cœur chaleureux, je ne suis pas certain du résultat. Je pense qu'il n'y a pas beaucoup de mal qui risque d'être fait mais pas beaucoup de progrès non plus ! Donc idéalement, il faut combiner les qualités du cœur à celles de l'intelligence.

Dans notre conception actuelle de l'éducation, l'accent est surtout mis sur le développement des facultés intellectuelles. Je crois qu'il est maintenant indispensable que nous accordions une place prépondérante à l'éducation du cœur, au développement de la compassion et de l'altruisme. Il est essentiel, il me semble, que cela fasse partie intégrante de l'éducation. Il faut aussi que les parents passent plus de temps avec leurs enfants, voilà ce qui est important.

───────────────

*Vous avez souvent dit que vous conseillez aux personnes qui ont foi dans leur propre religion de conserver cette religion et de ne pas se convertir au bouddhisme. Que voulez-vous dire par là ?*

La foi religieuse est étroitement mêlée à nos émotions. Lorsque les émotions dominent, la raison peut en souffrir, elle n'a plus sa place. Cela peut créer toutes sortes d'hésitations et de confusion. Je vais vous donner deux exemples. Le premier est celui d'une femme tibétaine que j'ai connue dans les années soixante. Elle avait fui le Tibet et était devenue réfugiée avec son mari et ses enfants. À la mort de son mari, elle et sa famille se sont retrouvées dans une situation extrêmement difficile. Elle a été prise sous la protection d'un groupe de missionnaires qui non seulement lui ont permis de survivre, mais se sont occupés de ses enfants et de leur éducation. Par la suite, elle s'est convertie au christianisme. Un jour, elle est venue me voir et m'a expliqué son histoire et le parcours de sa vie. Elle m'a dit qu'en raison des circonstances, elle avait épousé la foi chrétienne, mais que dans une prochaine vie elle serait à nouveau bouddhiste! Il y avait manifestement quelque chose qui n'était pas clair dans son esprit, il y avait beaucoup de confusion.

J'ai aussi connu une femme polonaise qui, également dans les années soixante, vivait en Inde et s'intéressait à la spiritualité. Elle appartenait à la société théosophique indienne. À cause de son intérêt pour différentes formes de spiritualité, elle a décidé de devenir bouddhiste. Elle l'a été pendant une grande partie de sa vie. Puis, au moment de mourir, l'idée de l'existence d'un Dieu créateur lui a semblé plus réconfortante. Elle s'est donc tournée à nouveau vers le christianisme. Voilà l'exemple d'une personne dont l'esprit est confus, qui ne sait trop quelle direction donner à sa vie, ni à qui se fier suite à une conversion.

Je pense donc qu'il est préférable de s'en tenir à la religion qui fait partie de notre culture. Au Tibet par exemple, bien qu'il y ait quelques citoyens ayant épousé la foi chrétienne ou musulmane, la majorité est bouddhiste. C'est la religion qui correspond à la culture tibétaine. Dans les autres pays, ce sont d'autres religions qui correspondent à la culture et c'est bien ainsi. Pourquoi? Décider de se convertir à une autre religion de façon précipitée, simplement sur un coup de tête, peut causer toutes sortes d'hésitations et provoquer de la confusion dans l'esprit de la personne qui prend cette voie. Certaines personnes le font parfois à la suite d'un long et profond raisonnement, après avoir bien analysé les tenants et aboutissants. Elles se trouvent beaucoup plus à l'aise avec une autre forme religieuse. Si une telle décision est prise à la suite d'une sérieuse investigation et d'un raisonnement abouti, il n'y a pas tellement d'hésitations à y avoir. Je peux vous donner l'exemple du traducteur ici présent* : j'espère que son esprit n'est pas trop confus !

* NDLR : Il désigne Matthieu Ricard.

*Le bonheur, comme vous le dites, peut être obtenu par l'entraînement de l'esprit. Est-ce que le concept de bonheur a un sens différent pour des gens qui ont, par exemple, 7 ans, 27 ans, 47 ans ou 77 ans ?*

Je crois que le concept de bonheur chez les adolescents, chez ceux qui ont moins de 20 ans ou plutôt moins de 15 ans, est différent de celui des adultes. Je crois que certaines qualités humaines de base sont beaucoup plus vivantes, beaucoup plus présentes chez eux. Puis, peu à peu, en vieillissant, nous commençons à les oublier. Passé l'âge de 20 ans, nous développons de la « sagesse », mais celle-ci n'est souvent qu'une expertise particulière qui nous permet de tromper les autres, de prendre avantage sur eux. Cette habileté n'est pas très utile à l'humanité. C'est donc lorsque nous sommes jeunes que nous devons faire les efforts nécessaires pour maintenir et développer ces qualités humaines déjà présentes en nous. C'est l'expérience dans le développement de ces qualités humaines qui permet de devenir un meilleur être humain.

*Lorsque vous parcourez le monde, Votre Sainteté, comment ressentez-vous le fait d'être un Tibétain ? Que dois-je, en tant que Tibétain-Canadien, transmettre aux autres Canadiens et aux générations futures concernant le fait d'être Tibétain ?*

Non seulement notre civilisation est très ancienne, mais nous, Tibétains, avons aussi une très grande culture. Notre langue, notre écriture particulières étaient suffisamment sophistiquées pour permettre de traduire l'ensemble des textes bouddhistes à partir du sanscrit. Ce dernier est pourtant considéré comme une langue extrêmement riche et complexe. Les Tibétains peuvent donc être fiers de leur héritage culturel. Cela est dû en grande partie, bien sûr, à l'apport du bouddhisme. En fait, avant l'avènement du bouddhisme au Tibet, les Tibétains étaient un peuple plutôt barbare : un peuple de cavaliers maniant le sabre et se livrant à toutes sortes d'actions guerrières. L'arrivée du bouddhisme a changé la vie des Tibétains. Il leur a apporté une culture fondée sur la paix et la compassion. De ce point de vue, je me sens fier d'être Tibétain.

Notre culture a d'ailleurs été adoptée par tous ceux et celles qui vivent au Tibet. Il y a depuis longtemps au Tibet une minorité de chrétiens et de musulmans. Ils ont leurs propres croyances mais ils ont aussi adopté, sous l'influence de leur environnement, les mêmes valeurs culturelles de compassion, de paix et de non-violence que les autres Tibétains.

Ce qui est donc important pour nous, Tibétains, c'est de continuer à manifester une attitude pacifique et humaine envers les êtres humains, de même qu'à l'égard des animaux. Certes, les Tibétains ne sont pas végétariens, mais ils ont beaucoup de compassion. Même ceux qui doivent tuer des animaux, les bouchers par exemple, sont parfaitement conscients que cela est mal. Enlever une vie n'est pas une chose désirable.

Donc, si vous participez ou appartenez à la culture tibétaine, que vous soyez Tibétains-Canadiens, Tibétains de l'Inde ou de la Chine ou encore Tibétains des États-Unis d'Amérique, cela ne fait aucune différence, vous vous devez de maintenir cette culture de paix et de compassion.

Je voudrais aussi rappeler à mes amis tibétains l'importance d'être entreprenant, de travailler dur. Parfois, les Tibétains ont légèrement tendance à la paresse. Lorsque les circonstances sont difficiles, qu'ils ont un défi à relever, les Tibétains sont capables de manifester un très grand courage, de faire preuve de détermination et de force d'âme. Mais si tout va bien, ils ont alors tendance à se laisser un peu trop aller. J'en suis un exemple. Lorsque je dois donner un enseignement bouddhiste sur un texte un peu difficile, que je dois réviser, étudier à nouveau ce texte, j'ai tendance à me dire «bon, bon, bon, on verra ça plus tard» et je remets cela à la toute dernière minute. Je deviens alors plus nerveux et je dois précipiter un peu les choses. C'est aussi une forme de paresse!

———————————

*La paix commence au niveau du cœur et beaucoup d'entre nous, ici, aujourd'hui, essaient d'œuvrer pour que la paix mondiale devienne un jour réalité. Est-ce que la paix mondiale est simplement un rêve utopique? Sinon, que pouvons-nous faire pour que cette paix mondiale devienne une réalité?*

J'ai maintenant 74 ans. Au cours de ma vie, j'ai été témoin de nombreuses guerres, de nombreux conflits. Je suis né juste avant la Seconde Guerre mondiale. Ensuite, il y eut la partition entre l'Inde et le Pakistan, la guerre de Corée, puis la guerre du Vietnam. Des millions de personnes souffrirent énormément ou périrent pendant ces conflits. Toutefois, si l'on compare la première moitié du XX$^e$ siècle à la seconde moitié, on constate une amélioration considérable dans l'attitude des gens face à la guerre. Le XX$^e$ siècle a sans doute été le plus significatif et le plus important de l'histoire de l'humanité. Il a été marqué par de grands développements scientifiques et technologiques. D'immenses progrès ont été faits. De nombreuses inventions sont apparues. Mais ce siècle aura sans doute été aussi le plus sanguinaire. Deux cent millions d'individus ont été tués lors des guerres du XX$^e$ siècle.

Pourtant, au cours des cinquante dernières années, les choses ont évolué. De nouvelles tendances sont porteuses d'espoir. Je pense notamment à l'attitude de la population en général face à la guerre. Au début du XX$^e$ siècle, à l'heure du déclenchement de la Première Guerre mondiale, par exemple, les citoyens étaient fiers, heureux de joindre les rangs de l'armée et de partir en guerre. Ce n'est plus du tout le cas aujourd'hui. Lors de conflits plus récents – la guerre du Vietnam ou celle en Iraq – on a pu voir à quel point des millions de personnes de tous les pays, des États-Unis et de l'Europe en particulier, étaient opposées à la guerre. Nombreux sont ceux et celles qui ont manifesté leur rejet de la violence.

L'exemple du Japon est intéressant à cet égard. Ce pays a traversé une immense tragédie. C'est le seul pays où des bombes atomiques furent utilisées contre des êtres humains. Pourtant, aujourd'hui, lorsqu'on demande à des Japonais s'ils ressentent toujours de la haine pour les États-Unis, ils répondent par la négative.

Ils n'ont plus cette haine. N'est-ce pas le pardon qui a brisé le cycle de la haine? L'Allemagne aussi a beaucoup souffert. Ces deux pays qui ont émergé de leur cendres sans nourrir de ressentiments à l'égard de leurs anciens ennemis, n'est-ce pas là un signe positif?

Il y a aussi le cas de l'ancienne Union Soviétique. C'était un pays totalitaire qui infligeait d'immenses souffrances à son peuple. Pourtant, les choses ont changé. Et ce changement ne s'est pas opéré par la force, par la guerre, mais bien par la volonté du peuple. Grâce à ces changements, les régimes totalitaires ne sont plus tolérés. Je vois là une source d'espoir, un encouragement à poursuivre mes efforts. Cela me permet d'être plus optimiste. Je crois que le siècle actuel, le XXI$^e$ siècle, peut devenir un siècle de paix et de dialogue, ce qui constitue la meilleure et la seule façon de résoudre les conflits.

2.

# ÉDUCATION, ÉTHIQUE ET RELIGION
# DANS LE MONDE D'AUJOURD'HUI

———————————

*Conférence à l'université McGill
devant des étudiants et des
étudiantes en éducation*

Vous préféreriez sans doute que je parle français, n'est-ce pas ? Malheureusement, je ne connais que ces mots en français : « *merci, merci beaucoup* * » ! C'est un grand honneur pour moi d'être reçu ici aujourd'hui. Je remercie madame la principale de l'université, les nombreux professeurs ici présents, de même que vous tous, futurs enseignants, d'autant que vous enseignerez dans un domaine qui touche de près les questions dont nous allons nous entretenir aujourd'hui. Je suis toujours très honoré de me retrouver devant une assemblée d'esprits aussi brillants.

Où que j'aille dans le monde, j'essaie de rencontrer des gens des milieux les plus divers : des hommes politiques, des hommes religieux, des économistes, des gens ordinaires, des personnes malades, qui souffrent du SIDA par exemple, ou qui vivent dans des léproseries. Je suis curieux et je pose des questions. Je m'informe auprès de tous ces gens que je rencontre, je veux connaître leur conception du monde. Cela fait maintenant cinquante ans que je parcours ainsi le monde et, grâce à toutes ces rencontres, mon expérience a grandi.

* NDLR : En français lors de la conférence.

Je suis persuadé que notre rencontre d'aujourd'hui sera particulièrement enrichissante puisque vous êtes tous et toutes préoccupés par l'éducation. De plus, j'ai appris que vous essayez d'introduire dans le système éducatif une nouvelle approche. Le ministère de l'Éducation du gouvernement du Québec a initié un programme d'éthique et de culture religieuse dans les écoles. Je crois que c'est très bien. Je suis donc particulièrement attentif et intéressé d'en apprendre davantage, et j'ai hâte de partager quelques idées avec vous.

Notre rencontre a donc un but précis. Ce n'est pas une cérémonie ni une rencontre diplomatique. Nous sommes ici pour explorer certaines idées, pour les analyser et les faire progresser, du moins sur un certain nombre de points, contribuant ainsi à ce que cette rencontre soit des plus fructueuses. Lorsque je participe à des rencontres comme celle d'aujourd'hui, j'essaie de les mener de la façon la plus informelle possible. Soyez donc à l'aise et n'hésitez pas à aborder vous aussi cette rencontre de manière informelle.

Comme je le disais plus tôt, cela fait maintenant une cinquantaine d'années que je vis en Inde et que je parcours le monde en rencontrant des gens. Grâce à ces rencontres, j'ai pu développer progressivement une vision beaucoup plus globale de la réalité. Prenons l'exemple de la question de la guerre. La guerre nous apparaît aujourd'hui comme quelque chose de complètement archaïque et dépassé. Tout le monde parle de paix et lance des appels en faveur de la paix sur cette planète. Pourtant, dès qu'une situation plus difficile se présente, dès qu'un conflit réel surgit, la réaction immédiate est encore celle du recours à la violence, à la confrontation et à la guerre.

Sur le plan de la vie familiale et du mariage, maintenant. Comme vous vous en doutez bien, étant moine, je ne suis pas un spécialiste de la question ! Je crois tout de même que lorsque deux personnes se marient, ce n'est pas dans l'intention de divorcer ! Cependant, les circonstances de l'existence font en sorte que ce choix d'une vie à deux, d'une vie de compagnonnage et d'amitié finit très souvent par la séparation.

Nous pouvons aussi constater sur le plan personnel que, lorsque nous plaçons tous nos espoirs en des choses qui sont extérieures à nous, et limitons nos préoccupations à celles-ci, nous ne sommes jamais pleinement satisfaits. La quête de la richesse en est une bonne illustration : les milliardaires sont souvent des gens extrêmement malheureux. On dirait même que leur anxiété est proportionnelle à l'importance de leur fortune. Les gens qui possèdent moins de richesses sont généralement moins préoccupés par celles-ci. Nous avons donc tendance à accorder trop d'importance aux aspects matériels de la prospérité. Être riche procure un confort physique indéniable. En revanche, la richesse ne peut apporter ce confort intérieur et cette sérénité d'esprit qui assurent la qualité de notre existence. Le pouvoir ne le peut pas davantage. Il ne faut donc jamais négliger les valeurs intérieures, les conditions intérieures d'une satisfaction profonde. C'est pourquoi j'insiste toujours sur l'importance de cultiver les conditions intérieures nécessaires à la paix de l'esprit, et de développer les valeurs humaines qui y contribuent.

Qu'est-ce donc que l'éthique? Nous agissons dans le monde par nos actes physiques, par nos paroles et par nos pensées. Est éthique tout ce qui vise à apporter ou qui apporte effectivement du bienfait aux autres ou à soi-même, surtout si ce bienfait est à long terme. Étendu ainsi à tout comportement bienfaisant à l'égard d'autrui à court et à long terme, je crois que le concept d'éthique englobe non seulement les rapports humains, mais aussi les relations entre certains animaux. Pour leur survie, les mammifères dépendent de façon immédiate de l'attention que leur portent les autres, leurs parents, et particulièrement leur mère. On trouve donc chez des animaux des formes d'entraide, de soins et d'attention à l'autre, voire de considération, que l'on peut qualifier d'éthique. En effet, ils ont parfois des comportements visant à apporter un certain réconfort aux autres. Ce phénomène s'observe chez différentes espèces. Selon certains scientifiques que j'ai rencontrés, lorsqu'un cochon d'Inde est blessé, un autre va lécher ses blessures afin de l'aider à guérir. Je crois donc qu'il existe aussi des manifestations de sympathie et de considération chez d'autres espèces.

On peut évidemment parler d'éthique dans le cas des êtres humains. Nous ne sommes pas une espèce éphémère qui naît un jour et meurt le lendemain. L'enfant prend beaucoup de temps à devenir indépendant de ses parents. De plus, dans des conditions idéales, la vie humaine peut durer un siècle. Nous avons donc amplement le temps de développer des valeurs humaines ne serait-ce qu'à cause du besoin que nous avons de nous préoccuper des autres, de recevoir et de donner de l'affection et des soins. Il est vital et crucial que nous ayons bénéficié d'une telle attention dès notre naissance et que nous sachions aussi en manifester à l'égard des autres. Pour moi, il s'agit du fondement même de l'éthique, son fondement biologique: parce qu'il est biologique, il est partagé par la plupart des espèces vivantes et a, en ce sens, une valeur universelle.

Pour ce qui est des fondements de l'éthique, il y a deux écoles de pensée: l'une selon laquelle l'éthique ou la morale doivent s'appuyer sur une théorie religieuse, et l'autre selon laquelle l'éthique n'est pas nécessairement liée à une croyance ou à un dogme religieux. Personnellement je me range dans ce deuxième camp. Comme je le mentionnais plus haut, il me semble que l'éthique trouve son origine dans le fait que nous dépendions à cent pour cent, au moment de notre naissance, de l'affection et du soin des autres. C'est cette bienveillance originelle qui est le fondement même de l'éthique, et elle n'est pas intrinsèquement liée à la religion.

D'autre part, il y a bien sûr les grandes religions du monde. Certaines sont apparues il y a des milliers d'années: il y a trois, quatre, voire cinq mille ans. De passage dans une université égyptienne, j'ai appris que la civilisation de l'Égypte et sa religion remontaient à 5000 ans. La Chine retrace son histoire philosophique et religieuse à quelque 5000 ans. En Inde, il y a 3000 ans déjà, se développaient d'importantes traditions spirituelles et religieuses. Parce qu'elles se sont développées en divers endroits, à des époques différentes, au sein de cultures différentes, les grandes traditions religieuses et spirituelles ont pris des formes différentes. Elles partagent toutefois les mêmes objectifs fondamentaux: apporter satisfaction, bonheur, plénitude aux êtres humains et proposer des valeurs éthiques à ceux et celles à qui elles s'adressent. Certes, ces traditions ont des vues philosophiques et métaphysiques différentes, mais on trouve dans leur message les mêmes valeurs d'altruisme, de compassion, de pardon, d'épanouissement et de discipline personnelle. De la même façon, elles s'accordent sur la plupart des points pratiques et sur les qualités qu'il convient à chaque personne de développer. Les diverses pratiques religieuses se fondent sur des vues métaphysiques, religieuses, théologiques et des conceptions du monde différentes mais elles visent le même objectif fondamental : faire le bien de l'humanité.

En simplifiant les choses, on distingue généralement deux types de religions : les religions théistes et les religions non-théistes. Bien sûr, cette distinction n'est pas tout à fait précise ni exacte. D'une part, il y a les religions théistes fondées sur la conviction qu'il existe un Créateur. La personne qui croit en un Créateur se considère comme une créature de ce Dieu. Dans la mesure où le Créateur est doué d'un amour ou d'une compassion infinie, ceux et celles qui ont foi en ce Créateur se doivent de développer aussi l'amour du prochain et la compassion.

Les traditions pour lesquelles il n'existe pas de Dieu créateur, par exemple le bouddhisme et le jaïnisme, sont fondées sur une conception particulière des lois de cause à effet. Dans une telle conception des choses, les actes qui sont mus par l'altruisme et la compassion vont engendrer du bien-être et du bonheur pour soi-même et pour autrui. À l'inverse, les actions négatives, celles qui créent du tort à autrui, vont engendrer de la souffrance pour les autres et pour soi-même, d'où la nécessité de ne jamais infliger de la souffrance à autrui. Qu'il soit transmis par des religions théistes ou non-théistes, le message demeure le même finalement. Toutes ces religions peuvent donc favoriser le développement des valeurs humaines fondamentales.

Comment promouvoir concrètement ces valeurs humaines ? Le cas de l'Inde illustre bien la complexité de trouver une réponse à cette question. Pour toutes sortes de raisons, une multitude de religions cohabitent dans la société indienne depuis des millénaires. Si l'éthique est intrinsèquement liée à une religion, comme certains l'affirment, quelle éthique religieuse doit-on enseigner en Inde ? C'est une question difficile, voire impossible à résoudre. C'est ce qui a conduit l'Inde à adopter un concept d'éthique séculière. Cette conception séculière des choses n'est pas du tout synonyme de rejet des religions. On propose plutôt une éthique indépendante des croyances religieuses particulières, mais qui respecte celles-ci. En fait, elle respecte non seulement les religions, mais aussi les points de vue non-religieux qui, depuis toujours, existent en Inde. En effet, depuis plus de 2000 ans déjà, il existe en Inde une école philosophique que l'on peut qualifier de nihiliste ou de matérialiste. Selon les tenants de cette école, la réalité se limite à l'existence présente. Il n'y a pas d'au-delà ou d'après-vie. Cette conception des choses correspond, à peu de choses près, à l'athéisme moderne. Il y a, bien sûr, des débats entre les croyants des religions indiennes et ces athées, mais ces débats sont conduits dans un respect mutuel. D'ailleurs, les tenants de cette perspective athée sont appelés des rishis. C'est un titre réservé aux sages. Ils jouissent du même respect que les adhérents aux grandes religions traditionnelles.

Une véritable éthique séculière respecte donc toutes les valeurs, tant les valeurs religieuses que les valeurs humanistes des non-croyants. Jetons un regard réaliste sur le monde d'aujourd'hui. Chacun des six milliards d'êtres humains ne conduit pas chaque instant de son existence en suivant des principes religieux, c'est une évidence. Dans ce cas, si les gens qui n'adhèrent à aucune religion pensent que les idéaux de la compassion, de la tolérance, de l'altruisme relèvent essentiellement des religions, et qu'ils ne se sentent nullement concernés par ces valeurs, il y a là un grave problème. Indépendamment de toute croyance religieuse, ces valeurs sont absolument nécessaires à tout être humain. Pourquoi ? Nous faisons tous l'expérience du bonheur et de la souffrance. À ce titre, nous sommes éminemment concernés par l'altruisme, par la compassion, par le pardon, la tolérance et les autres valeurs humaines fondamentales.

Puisque ces valeurs sont universelles, on peut les considérer comme des valeurs séculières. Il est important, dans le contexte universitaire et scolaire, de promouvoir ces valeurs. L'éducation elle-même est universelle. On la trouve à divers niveaux partout dans le monde. Les valeurs humaines doivent faire partie de cette éducation

universelle dès la petite enfance, dès la maternelle.
Il est important de faire tous les efforts possibles
afin de promouvoir, à l'aide de l'éducation et de
l'éthique, la paix dans le monde.

Tout le monde parle de promouvoir la paix.
Même si nous parvenions un jour à bâtir une
civilisation fondée sur le dialogue, nous n'aurions
pas résolu tous les problèmes. Il y aura toujours
des problèmes en ce monde. Il y aura toujours
des personnes qui auront des intérêts conflictuels
ou contradictoires, qui seront en désaccord. Il y
aura donc toujours des conflits. Il ne faut donc
pas chercher à éliminer tous les conflits de la
planète. Il s'agit plutôt de trouver les méthodes
qui permettent de mieux gérer et de mieux
résoudre ces conflits. Pour y arriver, la méthode
du dialogue apparaît plus réaliste que l'usage de
la force.

Qu'est-ce que le dialogue sinon le respect du point
de vue de l'autre, le fait de manifester de l'intérêt
pour le point de vue et pour la situation de
l'autre ? Afin de permettre un véritable dialogue,
certaines situations demandent que l'on soit prêt

à réduire ses attentes, à mettre un peu de côté ses propres intérêts. Il en va parfois du bien du plus grand nombre, ou de la possibilité d'en arriver à une harmonie et un dialogue qui soient plus universels.

La fracture que nous établissons entre moi et l'autre, entre nous et eux, vient souvent faire obstacle à la paix et au dialogue. Monsieur Abdul Kalam, un scientifique musulman qui a été président de l'Inde, me disait que la source de la plupart des problèmes de l'humanité réside dans cette tendance que nous avons à nous accrocher à des concepts extrêmement solides de moi et d'autrui. En faire une telle démarcation, solide et intrinsèque, contribue à éloigner les êtres les uns des autres. Il est donc essentiel que nous travaillions à atténuer ce sentiment de séparation entre les humains. Nous faisons partie d'un grand NOUS avec les six milliards d'êtres humains. Ils font partie de nous-mêmes et nous formons ensemble une communauté universelle. Si nous faisons nôtre cette perspective, il devient alors possible de s'engager dans un dialogue significatif avec les autres personnes humaines.

Ce dialogue entre les humains doit inclure également la question de l'écologie, c'est une évidence. La dégradation de l'environnement est due aux activités humaines et à un manque de vision globale, holistique et universelle de notre situation planétaire, de même qu'à un manque de considération et d'altruisme envers les générations futures. Il est facile de constater à quel point les questions de l'environnement et de l'écologie sont étroitement liées à l'éthique et aux valeurs morales. Dans tous ces domaines, l'altruisme constitue le moteur premier de tous les progrès que nous devons faire pour améliorer notre condition.

L'éducation est un autre moteur de transformation. Il est important que nous sachions développer, à travers le système d'éducation, des façons de réduire la haine, la jalousie et tout ce qui conduit à la destruction des autres et de soi-même. Un altruisme sincère, une considération sincère pour le bien d'autrui, sont les impulsions premières qui doivent régner aussi bien dans nos rapports sociaux que dans l'éducation. Sans cette impulsion, les différentes professions et même les religions peuvent devenir des instruments d'exploitation. Animées par des valeurs humaines, toutes les professions peuvent au contraire devenir constructives.

L'éducation doit donc davantage servir à transmettre les valeurs éthiques ou morales. Il y a longtemps que je crois en l'importance d'introduire le développement des valeurs humaines dans l'éducation. La formation ne doit pas servir seulement à développer l'intelligence. Vous allez sans doute me demander : comment peut-on y arriver ? J'avoue ne pas en être certain ! Nous avons la responsabilité de travailler ensemble à découvrir la meilleure façon de promouvoir ces valeurs humaines dans le contexte de l'enseignement, et de proposer des mesures ou des interventions concrètes. Dans une université comme celle-ci, des chercheurs, des psychologues, des sociologues, des personnes engagées dans le domaine de la santé peuvent y travailler ensemble en tenant compte de tous les facteurs pertinents. Il s'agit de développer et de mettre en application des programmes concrets dans les écoles, de faire des études pilotes et d'évaluer leurs résultats.

Depuis de nombreuses années, je discute de ces questions avec certains amis aux États-Unis. Il y a parmi eux des éducateurs qui ont essayé d'introduire des programmes visant à cultiver l'altruisme et la compassion à l'école. Au bout d'un certain laps de temps, ils ont ensuite mesuré les résultats obtenus grâce à ces programmes au moyen d'évaluations psychologiques, bien sûr, mais aussi de critères physiologiques, comme par exemple le niveau de stress chez les enfants. Le stress est mesuré par la présence de certaines hormones, par la pression sanguine et par d'autres facteurs psycho-physiologiques. Les résultats préliminaires de ces expériences révèlent les bienfaits considérables de tels programmes : la compassion entraîne des changements positifs sur les sujets.

L'éducation est apparue il y a plus d'un millénaire. Au début, les matières, les sujets qui étaient étudiés étaient relativement limités, il s'agissait de connaissances générales. Au fur et à mesure que différentes formes de sciences, telles que la biologie, la physique, l'histoire, la géographie, se sont développées, le nombre de matières enseignées a augmenté. Au XX$^e$ siècle, de nouvelles matières ont été prises en considération et enseignées à l'école. Je pense, par exemple, à l'écologie. Il me semble évident que les principes de l'écologie et du respect de l'environnement doivent être enseignés dès la maternelle. Ceux et celles qui bénéficieront d'une telle éducation auront sans doute un respect pour l'environnement considérablement plus grand que ne l'est celui de leurs parents. Il est à espérer qu'en introduisant l'enseignement de valeurs comme la compassion dans les écoles, le XXI$^e$ siècle sera un siècle plus pacifique, plus harmonieux, et plus heureux que les précédents. Lorsqu'aux XXII$^e$ et XXIII$^e$ siècles, d'autres problèmes surviendront, il faudra alors envisager de nouvelles solutions à ces nouveaux problèmes et adapter l'éducation en conséquence.

---

*Tenant compte des obstacles auxquels nous aurons à faire face comme professeurs, comment pouvons-nous conserver et maintenir le cap sur nos principes moraux dans nos efforts pour promouvoir la tolérance religieuse et les actions éthiques?*

Il est difficile de généraliser, cela dépend de chaque individu. Il y a des enseignants qui sont naturellement ouverts, bienveillants et patients. Il

y en a d'autres qui sont plus soupe-au-lait ! C'est
dans la nature des choses. C'est partout pareil !
On trouve même dans de grandes institutions
monastiques certains érudits extrêmement
respectés qui sont parfois impatients, même
un peu coléreux, en surface, bien sûr. Ils sont
profondément préoccupés par l'avenir, par le
succès de leurs étudiants. Mais lorsque certains
étudiants s'avisent de poser des questions un
peu trop longues, ces enseignants peuvent faire
preuve d'une grande sévérité en les interrompant
assez brutalement. Au fond d'eux-mêmes, ils
sont pourtant entièrement dévoués, pleins de
bienveillance et d'altruisme à l'égard de leurs
étudiants. Je crois que c'est là l'essentiel : avoir de
la bienveillance à l'égard de ceux et celles à qui
vous allez enseigner.

Un texte bouddhiste du VII$^e$ siècle écrit par
Aryadeva décrit la relation de maître à disciple
ou d'enseignant à élève. L'étudiant y est défini
comme étant celui qui a une aspiration profonde
à apprendre. Un bon maître, c'est celui qui
est intimement préoccupé par l'avenir, et par
l'épanouissement de celui à qui il enseigne. Même
s'il vous arrive parfois d'être un peu impatients,

l'essentiel est de toujours garder au plus profond de vous-même de la considération et une grande préoccupation pour l'avenir de vos étudiants.

———————————

*Y a-t-il une éthique universelle qui transcende la diversité des systèmes de croyance et, si oui, en quoi consiste-t-elle ?*

J'ai parlé plus tôt de ces facteurs d'éthique universelle qui, à la fois, transcendent les religions et en sont aussi l'essence même : l'amour, la compassion, la tolérance, etc. Pensons simplement aux fondateurs des grandes religions : le Bouddha était un homme, Jésus-Christ était un homme, Mahomet aussi. Même s'ils ont connu des expériences spirituelles extrêmement profondes, ce sont tout de même des hommes qui ont établi les fondements des grandes religions. En dépit de vues philosophiques, théologiques et métaphysiques différentes, leur message était le même : un message d'amour, un message qui propose à l'être humain une voie pour connaître la plénitude, pour atteindre le bonheur. Certaines religions affirment et enseignent l'existence d'un

Créateur. D'autres, comme le bouddhisme, sont fondées sur une compréhension de la loi de cause à effet. Mais toutes ont pour but de promouvoir des valeurs humaines et de favoriser une vie qui ait un sens, une vie qui conduise à une satisfaction profonde.

La diversité de points de vue entre les grandes religions est nécessaire. Elle est le fruit d'une adaptation à la diversité des êtres, de leurs aspirations, de leurs cultures, de leur nature. D'ailleurs, au sein même du bouddhisme, il existe une certaine diversité. Le Bouddha lui-même a enseigné, selon les circonstances, des vues philosophiques apparemment contradictoires. Toutes visaient pourtant à rendre les êtres humains meilleurs. Pourquoi de telles contradictions? Le Bouddha lui-même était-il confus dans son enseignement? Enseignait-il un jour quelque chose qu'il oubliait le lendemain pour enseigner autre chose? Cherchait-il à semer la confusion dans l'esprit de ses disciples? Certainement pas! Il a donné, en des circonstances diverses, à des personnes diverses, des enseignements différents parce que cela correspondait aux aspirations, à la nature et aux capacités particulières de ces personnes. Ces enseignements différents avaient tous le même objectif : proposer une vie qui ait un sens, qui mène à un sentiment de plénitude. Le fondement universel de l'ensemble des religions est donc cette éthique qui consiste à promouvoir une bonne vie, une vie altruiste, compatissante, tolérante, une vie qui, en fin de compte, ait un sens.

---

*L'enseignement culturel des religions est-il vital ou nécessaire pour le bien de la société ? Et si oui, pourquoi ?*

Cette question me laisse un peu confus. Il existe bien une différence entre les religions et les cultures qu'elles ont engendrées dans leurs contrées respectives. Par exemple, l'Europe a fondamentalement une culture judéo-chrétienne. De même, les pays arabes sont généralement de culture musulmane. Au Tibet, la culture bouddhiste est majoritaire. Une distinction est donc nécessaire.

La religion, la spiritualité sont en fin de compte une affaire personnelle. C'est un chemin que l'on suit en tant qu'individu. La culture religieuse concerne la société, la communauté, les règles et la manière de vivre. C'est un art de vivre lié à une religion particulière, influencé par cette religion. La culture religieuse influence donc l'ensemble de la société et, par le fait même, influence l'ensemble des personnes qui vivent dans cette société.

Prenons l'exemple du Tibet. Depuis des siècles, une communauté musulmane très minoritaire y vit. Ces tibétains sont de foi islamique, mais dans leur comportement, leur manière d'être, leur culture donc, ils se comportent comme des bouddhistes. Ils ont aussi adopté la tolérance, la non-violence de la culture bouddhiste.

Certaines personnes peuvent donc adopter certains aspects de la culture bouddhiste comme la non-violence, l'altruisme ou l'ouverture aux autres, tout en demeurant dans une autre tradition religieuse. C'est ce que je dis toujours à ceux et celles qui, en Occident, sont intéressés par le bouddhisme. Je les invite à étudier et à pratiquer l'essence même du bouddhisme, et non pas sa culture. Vous êtes ici dans une culture fondamentalement judéo-chrétienne. C'est cette culture qui oriente votre façon de vivre. Même si vous vous intéressez à l'essence du bouddhisme, votre culture demeure ce qu'elle est. Il y a bien sûr quelques exceptions, comme cet interprète qui a adopté tous les aspects extérieurs d'une autre culture, et que seul son visage trahit !

Je dois dire que cette distinction entre religion et culture religieuse me rend un peu confus. Je dis souvent que ma religion est la religion de l'amour, la religion de la bonté, elle est donc universelle. Pourtant, si on cherche la définition du mot «religion» dans le dictionnaire d'Oxford, on peut y lire que la religion est basée sur la foi en un Créateur. Donc, de ce fait, le bouddhisme ne serait pas une religion. Peut-être une spiritualité ? Une spiritualité universelle fondée sur l'amour ? Là aussi, je suis un peu confus !

*Comme la recherche du bonheur est au centre de votre enseignement, nous aimerions savoir comment intégrer la recherche de ce bonheur dans notre pratique?*

Partout où je vais, c'est l'essentiel de ce que j'ai à dire : à notre naissance réside en chacun de nous le potentiel de recevoir et de donner de la tendresse, de l'amour et de la bienveillance. Toutefois, au fur et à mesure que nous grandissons, nous prenons cette capacité pour acquise et nous négligeons d'actualiser ce potentiel. Il reste dormant et ne se développe pas de manière optimale. Pourtant, développer, faire croître, actualiser pleinement ce potentiel d'altruisme et de compassion que nous portons est la source même du bonheur et d'une vie qui soit pleine de sens. Je le répète sans cesse : la paix intérieure est essentielle à une vie heureuse; notre bonheur ne doit pas dépendre de conditions extérieures. J'ai donné l'exemple de certains milliardaires qui sont profondément malheureux. Il en va de même de personnes qui jouissent d'un grand pouvoir. Mao Tsé Toung, par exemple, était extrêmement puissant. Il exerçait ce pouvoir sur des centaines de millions de personnes. Pourtant, je ne crois pas qu'il était vraiment heureux. Il était méfiant, constamment inquiet et préoccupé. Ce n'est pas une manière d'être sereine et heureuse. En revanche, les personnes qui parviennent à développer en elles la compassion et l'altruisme se sentent beaucoup plus en confiance.

C'est grâce à la paix intérieure que nous pouvons faire rayonner le bien-être autour de nous-mêmes; voilà la conviction que nous devons ancrer profondément en nous. Il y a trois façons d'y parvenir.

La première consiste à réfléchir à notre expérience commune. Des enfants ont la bonne fortune de bénéficier, dès leur naissance, d'un maximum d'affection et de soin, d'être entourés de tendresse et de considération de la part de leurs parents et des autres personnes auprès de qui ils vivent. Ils seront ensuite capables de manifester des qualités similaires tout au long de leur existence. En revanche, il est toujours triste de constater l'impact que peut avoir sur les enfants le manque d'affection, ou pire encore, les abus graves ou encore le fait de grandir dans une atmosphère extrêmement froide. Ils éprouveront plus de difficultés que les autres à manifester dans leur vie, dans leur comportement, dans leur manière d'être, de l'altruisme et de l'ouverture aux autres. C'est un fait d'expérience que nous pouvons tous vérifier.

La deuxième approche est celle du bon sens. Il suffit d'observer autour de soi non seulement les êtres humains, mais aussi les animaux. Par exemple, lorsqu'un chien ne cesse de se battre avec les autres chiens, il se retrouve seul. Au contraire, un chien qui a un bon tempérament et qui joue spontanément avec les autres chiens est vite entouré d'amis de la gente canine. Il en est visiblement très content. Il en va de même des êtres humains.

La paix intérieure nous apporte un sentiment de sérénité. Elle nous donne aussi le sentiment d'appartenir à cette grande famille du « Nous ». Elle nous permet de réaliser que tous les êtres font partie de ce que nous sommes, et que nous appartenons à la grande famille humaine. La paix intérieure permet aussi de développer un sentiment de confiance à l'égard des autres. Or, la confiance est le fondement même de l'amitié.

C'est elle qui nous permet de nous entourer de nombreux amis, et d'amis véritables, des amis qui ne sont pas les amis de notre argent, les amis de notre pouvoir mais bien les amis de l'être humain que nous sommes.

L'essentiel de l'existence consiste donc à développer une attitude bienveillante à l'égard des autres et à souhaiter le mieux à ceux qui nous entourent. Ce souhait se traduira naturellement par une conduite extérieure honnête, transparente et fiable. Nous n'avons plus rien à cacher aux autres et, de ce fait, nous développons une confiance profonde envers les autres, avons moins de peur et moins d'insécurité.

La troisième méthode est celle de l'approche scientifique. Des études révèlent que la haine et la peur rongent et détruisent notre système immunitaire. D'autres études montrent, au contraire, que le fait de cultiver la compassion et l'altruisme renforce ce même système immunitaire. Si on croit en un Créateur, on peut dire que c'est ainsi que le Créateur nous a fait !

Il y a donc, selon moi, trois points de vue, trois perspectives possibles pour développer la conviction que la paix intérieure est essentielle à notre bonheur, soit l'expérience commune, le bon sens ou les investigations scientifiques. Je vous laisse donc le soin de juger si ces approches sont valables pour votre enseignement.

Au sujet de la compassion, j'aimerais développer ici mon propos afin de distinguer deux niveaux de compassion ou d'altruisme. Le premier est fondé sur notre constitution physique, notre biologie, notre simple existence humaine. C'est ce qui fait que, spontanément, la mère prend soin de son enfant. Elle lui manifeste de l'affection, de la compassion, de la considération. Nous aussi sommes spontanément capables de manifester de la bienveillance et de l'affection envers ceux et celles qui sont proches de nous. Cette capacité est inscrite profondément dans notre constitution biologique. Nous n'avons pas besoin d'y réfléchir, d'avoir recours à la raison. Nous n'avons pas besoin de cultiver cette forme de compassion, elle se manifeste spontanément.

Cet altruisme, ou cette compassion «spontanée», est directement lié à la façon dont se comportent les autres à notre égard. C'est une forme d'attachement qui dépend de facteurs émotionnels. Cette compassion est donc très partiale. Même avec nos frères et sœurs biologiques, ceux et celles de qui nous sommes si proches génétiquement, cette compassion est conditionnelle. Si leur attitude à notre égard change, s'ils manifestent envers nous une attitude malveillante, nous cesserons d'éprouver de la bienveillance pour eux, et pourrons même en arriver à les considérer comme des ennemis.

Il existe donc une forme de compassion spontanée qui n'est pas fondée sur la raison, qui est liée aux émotions, à l'attachement et qui bien souvent est partiale. Mais elle peut servir de fondement à une autre forme de compassion. Elle en est comme la graine, la semence. Cette seconde forme de compassion est indépendante de la façon dont les autres nous traitent. Elle est fondée sur le constat que nous sommes tous des êtres humains, que nous partageons la même humanité, même avec ceux et celles que nous considérons comme des ennemis, même avec les personnes qui nous

nuisent. Certes, leur conduite nuisible à notre
égard ou à celui d'autrui est répréhensible, et
nous ne pouvons guère éprouver d'appréciation
ou d'attachement vis-à-vis de ces personnes.
Mais il est tout à fait possible de continuer à
apprécier leur humanité fondamentale, c'est-
à-dire notamment ce désir qu'ils ont au fond
d'eux-mêmes de ne pas souffrir, le droit qu'ils
ont de ne pas souffrir. Voilà le fondement même
de la compassion : reconnaître l'humanité de la
personne qui ne me traite pas avec bienveillance.
Mon avenir dépend de cette personne, du respect
de son humanité, de ma compréhension du droit
fondamental que tous les êtres vivants ont de ne
pas souffrir. La non-violence, l'*ahimsa*, se fonde
sur ce respect des aspirations profondément
humaines des autres.

Cette forme de compassion n'est donc pas
spontanée. Elle doit s'appuyer sur la réflexion
et sur l'entraînement de l'esprit, car elle va à
l'encontre de nos réactions instinctives. Encore
une fois, cette bienveillance universelle qui vise
à remédier à la souffrance ne dépend pas de
notre attachement aux autres, de la façon dont
ils nous traitent. Elle est objective. Elle peut être

développée à l'infini, puisqu'il y a une infinité d'êtres vivants. Cette attitude de responsabilité à l'égard d'autrui est à la fois réaliste et fonctionnelle, car elle est fondée sur une compréhension de l'interdépendance de tous les êtres. La prise de conscience de cette interdépendance est l'un des grands fondements du bouddhisme. Dans les domaines de l'environnement et de l'économie, on réalise de plus en plus l'importance de développer un tel sens des responsabilités à l'égard d'autrui. Nous sommes maintenant six milliards d'êtres humains, et c'est ensemble que nous devons œuvrer à créer un monde meilleur.

Il est important de distinguer les deux niveaux de compassion. Cette distinction nous permet de comprendre l'essence même de ce qu'est un être humain. Fondamentalement, nous sommes d'abord des êtres humains, des êtres animés, des êtres vivants. Nous avons d'autres niveaux d'appartenance comme la religion, la race ou la nationalité, mais ils sont secondaires. Bien sûr, instinctivement, nous avons tendance à nous reconnaître dans les personnes qui font partie des mêmes groupes que nous, par exemple celles qui adhèrent à la même religion. Nous autres, bouddhistes, avons tendance, lorsque nous rencontrons un autre bouddhiste, à le considérer comme l'un des nôtres. Mais ces affinités naturelles sont secondaires et ne devraient jamais avoir préséance sur cette prise de conscience fondamentale que nous partageons tous et toutes la même humanité. Cette reconnaissance de notre humanité commune a un caractère éminemment réaliste : elle peut mener à des résultats concrets pour améliorer le sort de l'humanité. Une approche moins réaliste se heurtera vite à la réalité et est vouée à l'échec.

Notre compassion peut donc devenir universelle. Lorsque nous connaissons quelques moments de paix intérieure, c'est une vérité qui nous paraît plus évidente. Lorsque notre esprit est un peu agité, c'est plus difficile à concevoir. Peut-être vaut-il mieux alors ne pas trop essayer de comprendre… Il est peut-être préférable d'aller faire un petit somme, de prendre un verre et d'attendre que ça se passe !

En guise de conclusion, j'aimerais dire qu'une bonne part des problèmes et des difficultés que nous rencontrons sur cette planète sont le résultat de l'action humaine. Ces problèmes, nous les créons. Afin de les résoudre, nous ne pouvons nous en remettre à Dieu, si nous sommes théistes. Ultimement, la source de ces problèmes est en nous, au cœur des émotions que nous ressentons. C'est le repli sur soi qui est à la racine de nombreux problèmes de l'humanité. Nous devons nous attaquer à cette attitude. Vous qui allez être professeurs, vous devez agir sur cette réalité de l'existence humaine.

J'ai hâte de vous voir entreprendre votre carrière et je vous prie de vous engager dans votre profession en étant mus par une motivation sincère et avec un sens des responsabilités universel. Soyez porteurs d'espoir et ayez comme objectif l'avènement d'un monde meilleur, d'un monde de compassion avant la fin de ce siècle.

Si nous passons un jour de six milliards à neuf milliards d'individus – il s'agit là d'un autre problème important – il faudra avoir recours au planning familial, ce sera indispensable. Je dois dire que nous deux*, nous faisons déjà notre part pour ce qui est du contrôle des naissances ! Cette question de la croissance de la population

* NDLR : Désignant Matthieu Ricard.

mondiale est un sujet sérieux, mais différent. Plus nous serons nombreux sur la terre et plus vous devrez, dès que vous vous lèverez le matin, vous rappeler que votre devoir est de faire votre contribution pour un monde meilleur. Ce monde meilleur ne viendra pas des Nations unies ni des gouvernements, mais grâce à chaque personne. Essayons-donc de former des personnes plus sensibles, ayant un sens des responsabilités fondé sur la compassion. Un individu peut entraîner sa famille sur cette voie, et celle-ci, dix familles, puis cent familles, puis mille familles et ainsi de suite, et c'est ainsi que des changements significatifs surviendront enfin.

Merci !

# TABLE DES MATIÈRES

# ANNEXES

## *Fondation du Dalaï Lama Canada*

En septembre 2008, le Québec a apporté d'importants changements à son système scolaire. Ce qu'en retient la Fondation du Dalaï Lama Canada, c'est le rôle prépondérant accordé à l'enseignement de l'éthique, de la paix, de l'harmonie sociale et du dialogue. La Fondation du Dalaï Lama Canada, ayant pour but de promouvoir le message de compassion de Sa Sainteté, est fondée sur une éthique laïque. Nous nous intéressons particulièrement à son application au curriculum scolaire.

Les changements innovants apportés au système d'éducation québécois font écho aux enseignements actuels de Sa Sainteté le Dalaï Lama sur la «responsabilité universelle». Ces changements offrent aussi une occasion de considérer Son appel urgent pour l'enseignement d'une éthique de la compassion et de la non-violence aux étudiants à même les systèmes d'éducation actuels.

### Responsabilité universelle : le rôle de l'école

Dans son livre *Sagesse ancienne, monde moderne*, le Dalaï Lama exprime son immense confiance dans la capacité et le potentiel des systèmes d'éducation à travers le monde à entreprendre avec succès la tâche qui nous attend : à savoir, enseigner aux jeunes une éthique de la paix et de la non-violence d'une manière totalement laïque et objective. Les écoles sont en mesure de contribuer grandement à l'émergence d'une culture de la paix, essentiellement axée sur une plus grande prise de conscience de l'interdépendance entre les êtres humains.

### *Responsabilité universelle : les fondements philosophiques*

L'émergence du concept de « mondialisation » de l'existence humaine pose de nouvelles questions d'ordres philosophique et politique. C'est en étant consciente de cette situation particulière que Sa Sainteté explique, depuis de nombreuses années déjà, à divers auditoires, la nécessité d'adopter une « éthique universelle ». Le Dalaï Lama réaffirme ainsi un point de vue philosophique bouddhiste selon lequel tous les êtres sont profondément interconnectés et tous les individus liés les uns aux autres, de sorte que chacun est responsable du bien-être de l'autre. C'est de ce principe que découle l'enseignement laïc sur la « responsabilité universelle » : une vision bouddhiste entièrement en accord avec les valeurs judéo-chrétiennes de la compassion et de la responsabilité sociale, comme celles énoncées dans la Déclaration universelle des droits de l'homme.

Notre époque exige – plus que jamais – des solutions pacifiques. En dépit de l'interrelation de plus en plus étroite de notre monde, individus et sociétés sont toujours en butte aux injustices sociales et à la violence. Il est indéniable qu'une prise de conscience est essentielle pour faire face à ces problèmes qui ne cessent de gagner du terrain. La responsabilité universelle ne découle pas d'un dogme mais d'une compréhension plus approfondie de l'interrelation entre les êtres humains et la nature. Pour assurer le soutien économique et écologique, la dignité et la liberté des personnes, il faut une éthique concomitante qui assure la préservation, la conservation et la guérison, mais avant tout qui favorise la paix. En insistant sur la « responsabilité » de chacun et sur le formidable potentiel de bonté qui réside dans l'être humain, l'éthique de la « responsabilité universelle » est à notre portée. Elle doit cependant débuter en chacun de nous pour s'étendre à notre communauté et, par la suite, au monde entier.

*Sa Sainteté le Dalaï Lama reçoit un cadeau du Centre Bell.*

En conférence de presse avec Matthieu Ricard.

*Arrivée au Centre Bell avec Thumdap Sambdup (à gauche)
et Brian Bronfman (à l'extrême droite).*

*Rencontre avec William Commanda et T8aminik Rankin.*

*Représentation de la communauté tibétaine en habits traditionnels au Centre Bell.*

*Remise d'un cadeau par Laure Waridel.*

*Dans les rues de Montréal.*

*Rencontre avec la communauté tibétaine du Canada.*

## Fondation du Dalaï Lama Canada

La Fondation du Dalaï Lama Canada œuvre à promouvoir l'enseignement de l'éthique et de la paix dans des environnements d'apprentissage formel et non formel. Organisation nationale établie avec l'aval du Dalaï Lama, nous partageons les principes de compassion et de respect de Sa Sainteté, dans une perspective laïque et inclusive. Nous nous attachons à sensibiliser le public ànotre capacité collective de promouvoir l'éthique et la paix. En coopérant avec des organismes éducatifs, culturels, artistiques et professionnels, nous souhaitons contribuer à établir une culture de paix fondée sur d'une éthique de compassion, la reconnaissance d'une appartenance à une même communauté et sur la non-violence.

*La Fondation du Dalaï Lama Canada*

6411, rue Sherbrooke Ouest
C.P. 24521
Montréal (Québec)  H4B 3A5

www.fondationdalailama.ca

## VISITE À MONTRÉAL
*Message de Thubten Samdup, président de la fondation du Dalaï Lama Canada*

Sa Sainteté le Dalaï Lama a toujours considéré l'éthique comme essentielle au développement de la personnalité et du caractère. Il est généralement admis que des principes et des valeurs morales solides permettent à la nature humaine de progresser et de se perfectionner. La bienveillance morale insufflée par l'éthique se manifeste dans les actions que nous accomplissons dans le monde. L'éthique commande la réciprocité; elle prend en considération les obligations et les responsabilités dont sont assortis les droits. Il convient ici de souligner le caractère particulier du point de vue exprimé par le Dalaï Lama : dans ses enseignements, Sa Sainteté ne cesse de répéter que la véritable « clé pour la création d'un monde meilleur et plus pacifique réside dans le développement de l'amour et de la compassion envers les autres ». Il insiste sur la nécessité de développer une véritable « culture de la compassion ». C'est ce qui distingue son message des débats philosophiques et moraux contemporains sur l'éthique.

Pour Sa Sainteté, cette culture de la compassion et l'« éthique » sont des synonymes. Il s'agit d'un idéal mais aussi d'une « pratique » qui vise à développer une attitude bienveillante toujours à l'affût d'une occasion « d'agir pour le bien d'autrui », une sensibilité à la souffrance humaine et un regard qui porte au-delà des intérêts étriqués de l'ego. Cette « éthique de la compassion » englobe toutes les autres valeurs morales : il s'agit du principe le plus élevé auquel la moralité puisse aspirer.

Au début du nouveau millénaire, Sa Sainteté a commencé à parler du rôle clé que les écoles pouvaient jouer dans le développement d'une éthique essentiellement laïque. Il est vrai, selon elle, que les acquis d'ordre académique sont importants, mais nous devons aussi aider la jeune génération à développer davantage l'altruisme, l'empathie et le sens des responsabilités envers autrui. Il s'agit d'enseigner une « éthique laïque » capable d'insuffler des qualités essentielles comme « la gentillesse, la compassion, la sincérité et l'honnêteté ». Plus récemment, lors de l'inauguration du Dalaï Lama Centre for Ethics and Transformative Values au MIT, Sa Sainteté a réitéré ce point de vue, en déclarant : « nous devons promouvoir une éthique laïque par l'éducation ». Sa Sainteté considère que le développement d'une éthique laïque de la compassion est inhérent à la pratique de la non-violence.

Une éthique de la compassion est nécessaire pour faire évoluer le monde, cela ne fait aucun doute. Comme le souligne Sa Sainteté : « nous vivons une époque de profonds changements ». Tout en accroissant notre capacité à comprendre la vie, les progrès extraordinaires de la science et de la technologie provoquent aussi des transformations spectaculaires qui affectent la vie en profondeur : nous modifions notre habitat naturel et la planète dans son ensemble. En même temps, nos économies et nos sociétés sont devenues étroitement inter-reliées. Elles constituent désormais une véritable communauté mondiale. Dans ce nouveau contexte, nos actions tant individuelles que collectives peuvent avoir des répercussions considérables, positives ou négatives, sur les voisins avec qui nous partageons cette planète, de même que sur notre environnement naturel. Il est donc urgent, déclare Sa Sainteté, d'en arriver à une compréhension approfondie de toutes ces interrelations que nous avons en tant qu'individus, citoyens d'un pays et habitants de notre planète, ainsi que des incidences et des retombées de nos actions. Il est certain qu'une éthique de la compassion contribuera à renforcer les droits humains fondamentaux de toutes les communautés humaines, tout en enrichissant notre vie quotidienne et en préparant la jeune génération à construire un monde meilleur.

Conscient du fait que l'introduction de l'éthique dans les écoles du Québec constitue une étape capitale dans cette direction, j'ai entrepris d'inviter le Dalaï Lama au Québec pour qu'il présente son point de vue unique à des éducateurs et des étudiants. La Fondation du Dalaï Lama Canada a officiellement demandé à Sa Sainteté de venir s'adresser aux jeunes enseignants en formation afin d'échanger avec eux sur la façon de favoriser le développement des valeurs de compassion et de responsabilité universelle dans le contexte actuel.

Si nous voulons laisser à nos enfants un monde plus pacifique, plus harmonieux et plus tolérant, nous devons commencer à leur insuffler des valeurs morales et une éthique positives, dès le plus jeune âge, tant dans nos foyers que dans nos écoles. À défaut d'y arriver, nous aurons manqué à nos obligations. Si les parents et les éducateurs se dérobent de cette responsabilité fondamentale, le projet d'une société plus humaine et plus juste sera à jamais perdu.

Sa Sainteté a aimablement accepté notre invitation. Le 3 octobre 2009, il a rencontré les Québécois pour leur parler de ces valeurs et de ces idéaux qui lui sont si chers.

**Marquis imprimeur inc.**

Québec, Canada,
Août 2010